10

D0726839

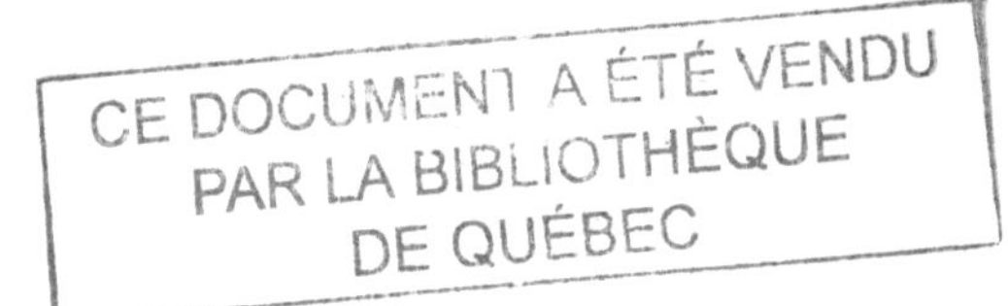

Combler ses carences en minéraux et oligo-éléments

Marc-André Laberge, N.D.

Forma

Comblez vos carences en minéraux/oligo-éléments

ISBN: 2-920878-64-6
Dépôt légal: 2e trimestre 1996

L'humanité cherche depuis toujours le remède miracle pour guérir tous les maux de la terre, une panacée quoi!

Cependant, la seule chose qui ait émergé de cette recherche est la déception.

Cette recherche a quand même permis de comprendre et d'accepter les vitamines, les minéraux, les oligo-éléments, les propriétés herbicinales, le fonctionnement anatomique, et j'en passe, toutefois, selon moi, la fameuse panacée tant désirée n'est qu'un rêve, du moins en ce qui touche les plantes individuelles.

Si les plantes ont des propriétés, si elles sont, selon le cas, uniques ou multifonctionnelles, il en va de même pour les vitamines, les minéraux et les oligo-éléments. Chacun de ces éléments a plusieurs propriétés qui servent au bon fonctionnement de l'organisme humain. Mais si on les prend seuls, ils risquent d'être moins efficaces, voire inutiles.

C'est pourquoi les vitamines, les minéraux et les oligo-éléments doivent être combinés à d'autres pour permettre une assimilation plus complète. C'est ce qu'on appelle les facteurs synergiques.

Pour vous citer un exemple, la vitamine D est nécessaire pour bien assimiler le calcium.

Ainsi, on ajoute toujours de la vitamine D au lait afin que nous puissions bien assimiler le calcium, cet élément essentiel à l'organisme humain, qui s'y trouve.

Les facteurs synergiques qui permettent de bien assimiler la vitamine D sont, quant à eux, les vitamines A, C, F et J (choline), le phosphore et, bien entendu, le calcium.

Ces facteurs synergiques peuvent sembler difficiles à retenir. J'en conviens. Je suis dans le domaine de la santé naturelle et je trouve très difficile, moi-même, de les retenir tous.

La plupart d'entre-nous ont malheureusement souvent autres choses en tête en faisant l'épicerie, et l'on n'achète pas de livres de référence tous les jours.

Aussi, parce que le but de mon exercice n'est pas de vous compliquer la vie mais plutôt de vous la simplifier, parce que je veux faciliter la tâche à celle et à celui qui veut prendre sa santé en mains, je vous présente deux options.

La première

Vous pouvez prendre des multivitamines qui sont très complètes. Elles le sont souvent si bien, que je trouve qu'on exagère. Je m'explique.

Les doses qu'on retrouve dans la plupart des multivitamines vendues sont obtenues grâce à des techniques et des statistiques biochimiques assez sophistiquées.

Ces techniques sont élaborées de la façon suivante.

On se base la plupart du temps sur les habitudes de consommation d'une région déterminée, sur trois repas par jour, sur des aliments cuits, sur une quantité *x* et sur une durée *y*.

On ajoute à ce calcul d'autres statistiques comme l'exposition moyenne quotidienne au soleil, le nombre d'heures travaillées. On soustrait à cela le nombre de café moyen bu par jour et le nombre moyen de cigarettes grillées.

Un calcul compliqué, dites-vous.

Croyez-moi, j'exagère à peine.

Ainsi, ce que l'industrie pharmaceutique ne dit pas, c'est qu'elle devrait recourir à une véritable boule de cristal pour connaître de façon exacte la carence dont vous souffrez.

En effet, c'est impossible de le savoir sans rencontrer un individu personnellement.

Elle se base donc sur une statistique qui dit que le québécois moyen a souvent une carence en fer, ou encore que les fumeurs et les gros buveurs de café ont des carences en vitamine C.

En fait, vous pouvez avoir des carences en tout, mais ce n'est pas obligatoire.

De plus, ces statistiques supposent que vous faites bouillir vos légumes, et que vous perdez la presque totalité de vos nutriments dans l'eau de la cuisson que vous jetez.

Elles n'ont pas tort. Je ne veux intenter de procès à quiconque. L'industrie a un produit à vendre et elle ne peut tout dire dans une annonce télévisée qui dure à peine quelques secondes.

Je crois que c'est plutôt à chacun de vérifier s'il a vraiment besoin de tout cet attirail. Je vous invite donc à le vérifier auprès de votre médecin ou encore de votre thérapeute en santé.

Vous devez savoir si vous avez vraiment besoin de cette structure ou seulement d'une vitamine précise.

Vous apprendrez peut-être, à votre surprise, que vous ne subissez pas une carence mais plutôt un excès. Les symptômes sont souvent les mêmes.

La deuxième option que je préconise

Cette deuxième méthode consiste à faire confiance à *Mère* nature qui dans toute sa sagesse, sait ce qu'il faut à chaque aliment (non traité ou raffiné) pour qu'il soit complètement assimilable.

En effet, il n'y a pas que les facteurs synergiques qui comptent, il y a aussi les enzymes nécessaires à la dégradation des nutriments, et ces enzymes font souvent cruellement défaut à l'organisme humain.

Celles-ci sont présentes dans les aliments.

Si vous mangez le concombre avec la pelure, vous le digérerez plus facilement, car l'enzyme se trouve dans la pelure.

L'enzyme de la digestion de l'orange se trouve dans la petite membrane blanche qui entoure les quartiers, et que plusieurs enlèvent.

Comme on peut le voir, la nature a pensé à beaucoup de choses, sauf peut-être à une.

Elle n'avait sans doute pas prévu que l'être humain s'amuserait un jour à la transformation génétique et au raffinage des aliments.

Voilà le but premier de ce livre, vous aider à trouver de façon naturelle les vitamines dont vous avez besoin pour votre bon fonctionnement.

Si certains facteurs synergiques manquent, c'est parce que la recherche scientifique n'a pas encore jugé bon de s'en occuper. Ils sont là, croyez-moi, même en infime quantité. La nature connaît trop bien ce qu'il faut pour la bonne assimilation de sa création.

Il arrive parfois que l'on doit combiner deux aliments pour qu'ils se complètent. C'est qu'on appelle les combinaisons alimentaires. Cependant, cela s'applique surtout aux protéines, au glucose et aux lipides.

Une autre raison pour laquelle je préfère les aliments aux vitamines conçues en laboratoire, c'est que les carences ne sont pas toujours causées par une alimentation incomplète ou encore par des facteurs de déplétion

Je veux parler de la non-assimilation par le foie de certains nutriments. Prenons l'exemple de l'anémie[1]; elle peut être ferriprive (carence en fer), mégaloblastique (carence en B_{12}), elle peut être à hématies falciformes ou drépanocytose (touchant surtout la personne de race noire et causée par une malformation des globules rouges) ou bien hémolytique (destruction prématurée des globules rouges).

En ce qui touche les deux premiers cas, ces carences (fer ou B_{12}) sont souvent dues à une mauvaise absorption. Aussi, la seule façon de soulager ces personnes atteintes est l'injection intraveineuse. Par contre, cette solution n'est souvent qu'éphémère. On ne peut procéder comme tel qu'à l'occasion de crises aiguës.

Ainsi, mettons toutes les chances de notre côté et favorisons les facteurs synergiques et les enzymes. Ils facilitent l'assimilation.

En terminant, si je trouve préférable de consulter un médecin ou un thérapeute de la santé avant de consommer des multivitamines, en contrepartie, vous n'aurez besoin de personne pour manger une pomme, un steak ou encore du pain.

Vous n'avez qu'à respecter trois choses: votre appétit, les groupes alimentaires et votre goût. En effet, le goût est le message qu'emprunte le corps pour signaler ce dont nous avons besoin.

Alors, ne vous gênez pas, mordez à pleines dents dans les aliments que vous choisirez, sauf indication contraire de votre médecin ou de votre thérapeute de la santé.

[1] Voir mes livres traitant des pathologies.

Les minéraux

Calcium

	Apport recommandé quotidiennement *en mg*
Enfants	
G= garçon / F = fille	
De 0 à 4 mois	250
De 5 à 12 mois	400
De 1 an à 2 ans	500
De 2 à 3 ans	550
De 4 à 6 ans	600
De 7 à 9 ans	700 G / 700 F
Adolescents	
G= garçon / F = fille	
De 10 à 12 ans	900 G / 1000 F
De 13 à 15 ans	1100 G / 1000 F

De 16 à 18 ans	900 G / 700 F
Adultes	
H= homme / F = femme	
De 19 à 24 ans	800 H / 700 F
De 25 à 49 ans	800 H / 700 F
De 50 à 74 ans	800 H / 800 F
De 75 et plus	800 H / 800 F
Grossesse et allaitement	
Grossesse 1er trimestre	1200
Grossesse 2e trimestre	1200
Grossesse 3e trimestre	1200
Allaitement	1200

Sources naturelles :

abricot, ail, algue, amande, ananas, arachide, artichaut, asperge, aubergine, avocat, babeurre, banane, betterave, beurre, bœuf, cantaloup, carotte, cassis, céleri, cerise, chou, chou fleur, citron, courge, cresson, crustacé, datte, dolomite, farine de sarrasin, feuille de betterave, feuille de navet, feuille de pissenlit, haricot, figue séchée, fraise, fromage, germe de blé, graine de citrouille, graine de sésame, graine de tournesol, haricot mung, lait maternel, lait de vache, laitue romaine, légume vert foncé, légumineuse, lentille, levure de bière, maïs, miso, mélasse, millet, noix, œuf, oignon, olive mûre, orange, orge, pacane, persil, pois vert, poisson, pomme, patate douce, poudre de caroube, poulet, produit laitier, prune, raisin sec, raisin vert, riz brun, rutabaga, seigle, son de blé, tofu, tomate, varech, yogourt.

Importance du calcium pour l'organisme humain :

- amortit la douleur;
- assure la formation des os et des dents;
- bon fonctionnement des cellules;
- coagulation sanguine;
- contraction musculaire;
- dent;
- minéraux des tissus qui forment l'organisme;
- détend les nerfs;
- entretien de l'élasticité du tonus musculaire;
- entretien la force;
- équilibre en minéraux des tissus qui forment l'organisme;
- favorise le sommeil;
- métabolisme de la vitamine D et des os;
- purifie l'organisme;
- régularise les battements du cœur;
- transmission de l'influx nerveux aux fibres musculaires;
- utilisation du fer.

Une carence en calcium peut entraîner :

- affection des dents;
- affection des gencives;
- des crampes menstruelles;
- des crampes musculaires;
- des douleurs articulaires;
- de l'hypertension;
- de l'insomnie;
- maladies des os;
- de l'ostéomalacie;
- de l'ostéoporose;
- du rachitisme;
- le ramollissement des os;
- la tétanie (spasmes ressemblant à des crampes, aux mains, aux pieds et dans le bas du visage).

Hypercalcémie :

- calculs rénaux;
- costo-contrite;
- dépression.

Facteurs synergiques :

(augmentent l'assimilation)

Vitamine A, C, D, F, magnésium, phosphore, fer, acide chlorhydrique, manganèse, magnésium.

Facteurs de déplétion ou qui détruisent ou qui peuvent produire une carence :

aspirine, carence en vitamine D, corticostéroïdes, drogues, hypoparathyroïdie, manque d'ensoleillement.

Chlore

Aucun apport alimentaire recommandé défini.

Sources naturelles :

algues, avoine, blé, céleri, chlorure de sodium (sel de table), chou, datte, farine de seigle, farine de soja, figue séchée, huîtres, olive mûre, olive noire, seigle, varech.

Importance du chlore pour l'organisme humain :

- contribue à conserver la tonicité des articulations et des tendons;
- contribue à l'élimination des déchets toxiques;
- contribue à la répartition des hormones;
- maintient la pression des liquides dans les membranes cellulaires;
- règle l'équilibre acido-basique dans le sang;

- stimule la production de l'acide chlorhydrique;
- stimule le fonctionnement du foie.

Une carence en chlore peut entraîner :

- faible contraction musculaire;
- perte des cheveux;
- troubles de la digestion.

Un excès de chlore peut causer:

- détruit la flore intestinale;
- détruit la vitamine E;
- mauvaise élimination intestinale;
- sujet aux rhumes et grippes;
- trouble du péristaltisme.

Facteurs synergiques :

(augmentent l'assimilation)
Sodium, potassium.

Facteurs de déplétion ou qui détruisent ou qui peuvent produire une carence :

peu.

Magnésium

	Apport recommandé quotidiennement *en mg*
Enfants	
G= garçon / F = fille	
De 0 à 4 mois	20
De 5 à 12 mois	32
De 1 an à 2 ans	40
De 2 à 3 ans	50
De 4 à 6 ans	65
De 7 à 9 ans	100 G /100 F
Adolescents	
G= garçon / F = fille	
De 10 à 12 ans	130 G /135 F
De 13 à 15 ans	185 G /180 F
De 16 à 18 ans	230 G / 200 F

Adultes	
H= homme / F = femme	
De 19 à 24 ans	240 H / 200 F
De 25 à 49 ans	250 H / 200 F
De 50 à 74 ans	250 H / 210 F
De 75 et plus	230 H / 210 F
Grossesse et allaitement	
Grossesse 1er trimestre	215
Grossesse 2e trimestre	245
Grossesse 3e trimestre	245
Allaitement	265

Sources naturelles :

abricot, ail, algues, amande, ananas, arachide, aubergine, aveline, avocat, banane, betterave, blé entier, bœuf, brocoli, cacao, cantaloup, carotte, céleri, cerise, champignon, chlorophylle, chou, chou fleur, crabe, crevette, datte, dolomite, épinard, farine de soja, feuille de betterave, feuille de pissenlit, haricot, germe de soja, figue séchée, fromage cheddar, fruit de mer, grain entier, graine de sésame, graine de tournesol, lait maternel, lait de vache, laitue iceberg, légume vert feuillu, légumineuse, levure de bière, maïs, mûre, mélasse, mélasse noire, millet, noix, noix de cajou, noix de pacane, noix du Brésil, oignon, olive mûre, orange, orge, pêche, persil, poire, pois cassé, pois sec, pois vert, poisson, poivron, pomme, pomme de terre avec pelure, patate douce, prune, pruneau, raisin sec, raisin vert, riz brun, sarrasin, seigle, son de blé, tofu, tomate, varech.

Importance du magnésium pour l'organisme humain :

- active les enzymes nécessaires au métabolisme des hydrates de carbone et des acides aminés;
- bon fonctionnement des nerfs et des muscles du foie et des glandes;
- cellules nerveuses;
- contraction musculaire;
- contribue à la formation du squelette;
- amélioration des humeurs;
- contribue à la régulation de l'équilibre acido-basique dans l'organisme;
- croissance des os, dents, émail des dents;
- encourage l'activité péristaltique;
- mémoire;
- nécessaire à la formation des os, des dents et des nerfs;
- participe à la transformation des graisses, sucres, et à la fixation du calcium;
- régénérateur de la substance fibreuse des nerfs (avec le phosphore);

- transmission de l'influx nerveux.

Une carence en magnésium peut entraîner :

- agitation;
- anxiété;
- calculs rénaux;
- carie dentaire;
- confusion;
- convulsions;
- dépressions;
- épuisement;
- insuffisance coronarienne;
- irritabilité;
- os spongieux;
- palpitations;
- secousses musculaires;
- tremblements.

Un excès en magnésium peut causer :

- diarrhées;
- faiblesse musculaire;
- lésion cardiaque (très forte doses);
- nausées;
- vertiges;

• vomissements.

Facteurs synergiques:

(augmentent l'assimilation)

Vitamine C, D, calcium, phosphore, protéines.

Facteurs de déplétion ou qui détruisent ou qui peuvent produire une carence :

alcoolisme, corticostéroïdes, digitaliques, diurétiques (prolongée), drogues, hypercholestérolémie, maladie rénale sévère, troubles intestinales.

Phosphore

	Apport recommandé quotidiennement ***en mg***
Enfants	
G= garçon / F = fille	
De 0 à 4 mois	150
De 5 à 12 mois	200
De 1 an à 2 ans	300
De 2 à 3 ans	350
De 4 à 6 ans	400
De 7 à 9 ans	500 G / 500 F
Adolescents	
G= garçon / F = fille	
De 10 à 12 ans	700 G / 800 F
De 13 à 15 ans	700 G / 850 F

De 16 à 18 ans	1000 G / 850 F
Adultes	
H= homme / F = femme	
De 19 à 24 ans	1000 H / 850 F
De 25 à 49 ans	1000 H / 850 F
De 50 à 74 ans	1000 H / 850 F
De 75 et plus	1000 H / 850 F
Grossesse et allaitement	
Grossesse 1er trimestre	1050
Grossesse 2e trimestre	1050
Grossesse 3e trimestre	1050
Allaitement	1050

Sources naturelles :

abat, agneau, ail, algues, amande, ananas, arachide, asperges, aubergine, avocat, banane, betterave, bœuf, brocoli, cantaloup, carotte, céleri, céréales de blé entier, cervelle, champignon, chou de Bruxelles, chou fleur, chou rouge, chou, citrouille, concombre, courge, crabe, datte, dulse (algue), épinard, feuille de betterave, germe de soja, figue séchée, foie d'agneau, foie de bœuf, foie de poulet, foie de veau, framboise, fromage, germe de blé, germe de soja, grain entier, graine de citrouille, graine de courge, graine de sésame, graine, haricot pinto, haricots vert, lait maternel, lait de vache, laitue, légumes verts, légumineuse, lentille, levure de bière, maïs, millet, nectarine, noix de cajou, noix de coco, noix de Grenoble, noix du Brésil, noix, oignon, olive, orange, orge, œuf, pacane, pain complet, pêche sèche, persil, pétoncle, pois cassé, pois sec, pois vert, poisson, pomme de terre, pomme, poulet, pousse de bambou, produits laitiers, pruneau, radis, raisin sec, raisin vert, riz brun, rognons, seigle, son de blé, tomate, varech, viandes, volailles, yogourt.

Importance du phosphore pour l'organisme humain :

- activité nerveuse;
- avec le calcium principal composant des os et des dents;
- contraction musculaire;
- croissance du squelette;
- entretien de la croissance;
- fonctionnement des reins;
- formation des nerfs et des muscles;
- métabolisme des hydrates de carbone;
- métabolisme des lipides;
- métabolisme des protéines;
- règle la formation de lécithine;
- réparation des cellules;
- transferts énergétiques;

- utilisé avec le calcium pour la formation des dents et des os.

Une carence en phosphore peut entraîner :

- affections des dents;
- affections des gencives;
- arrêt de la croissance;
- faiblesse des dents et des os;
- irrégularité de la respiration;
- maladie des dents et des os;
- poids au-dessus ou au-dessous de la normale;
- troubles nerveux.

Un excès en phosphore peut causer :

- dépôt de calcium dans les tissus.

Facteurs synergiques :

(augmentent l'assimilation)

Vitamine A, D, F, calcium, fer, protéines, manganèse.

Facteurs de déplétion ou qui détruisent ou qui peuvent produire une carence :

alcool, antiacides, aspirine, corticostéroïdes, diurétiques, drogues, hyperparathyroïdie, mauvaise absorption, trouble thyroïden.

Potassium

Aucun apport alimentaire recommandé défini.

Sources naturelles :

abricot, ail, algues, amande, ananas, arachide, asperges, aubergine, avocat, banane, betterave, brocoli, cantaloup, carotte, céleri, céréales de blé entier, cerise, champignon, chocolat, chou, chou fleur, courge, cresson, datte, dulse (algue), épinard, farine de soja, fève, figue séchée, fraise, framboise, fruits, fruit sec, germe de blé, grains entier, graine de citrouille, graine de sésame, graine de tournesol, haricots secs, lait maternel, lait de vache entier, laitue, légumes, légume vert feuillu, légumineuse, lentille, millet, noix, noix de Grenoble, noix du Brésil, œuf, oignon, orange, pacane, papaye, pastèque, pêche, persil, poire, pois sec, poisson, poivron, pomme, pomme de terre, poulet, prune, radis, raisin sec, raisin vert, riz brun cuit, varech, viandes.

Importance du potassium pour l'organisme humain :

- absorption des protéines;
- absorption du glucose;
- agit simultanément avec le sodium et le calcium dans le contrôle de l'équilibre hydro-électrolytique;
- agit simultanément avec le sodium et le calcium dans le contrôle de la conduction de l'influx nerveux;
- agit simultanément avec le sodium et le calcium dans le contrôle de la contraction musculaire;
- agit simultanément avec le sodium et le calcium dans le contrôle du maintien d'un rythme cardiaque normal;
- contribue à la régulation de l'équilibre hydrique;
- croissance, entretient l'élasticité des tissus;
- essentiel à la fonction musculaire;
- métabolisme des cellules;
- prévient la constipation;
- règle le degré d'activité de l'organisme;
- rythme cardiaque;
- stimule l'élimination des déchets par les reins;

- stimule le foie.

Hypokaliémie :

- arythmie cardiaque;
- faiblesse généralisée;
- faiblesse musculaire;
- fatigue;
- insomnie;
- paralysie musculaire;
- somnolence;
- trouble nerveux;
- vertiges.

Hyperkaliémie :

- engourdissements;
- insuffisance cardiaque (cas sévères);
- paralysie musculaire;
- picotements;
- troubles du rythme cardiaque.

Facteurs synergiques :

(augmentent l'assimilation)

Vitamine B_6, sodium, calcium.

Facteurs de déplétion ou qui détruisent ou qui peuvent produire une carence :

alcool, aspirine, caféine, consommation excessive de sucre, de café ou d'alcool, corticostéroïdes, diabète sucrée, diarrhée, diurétiques, drogues, excès de sel, gastro-entérite, hyperaldostéronisme (production exagérée d'aldostérone par le cortex surrénale), hypercholestérolémie, maladies rénales, stress, sucre, sudation très importante, syndrome de Cushing (production exagéré d'hormones stéroïdes par le cortex surrénale), trouble de l'appareil digestif, utilisation exagéré de laxatif, vomissements.

sel de table = chlorure de sodium
sodium et chlore

Aucun apport alimentaire recommandé défini.

Sources naturelles :

agneau, ail, arachide, artichaut, aubergine, avocat, babeurre, betterave, bœuf, brocoli, carotte, céleri, champignon, choucroute, chou fleur, chou, concombre, cresson, eau douce, épinard, farine de soja, feuille de betterave, haricot blanc, figue séchée, fromage cheddar, fromage cottage, fruit de mer, graine de sésame, graine de tournesol, homard, lait maternel, lait de vache entier, laitue, légumes vert, lentille, marinade à l'aneth, morue, navet, oignon, olive mûre, olive verte, œuf, persil, pétoncle, pomme de terre, porc, poulet, produits laitiers, raisin sec, raisin vert, riz brun, sauce soja, sel de table, tomate, varech, viandes, volailles, yogourt.

Importance du sodium pour l'organisme humain :

- bon état du sang et de la lymphe;
- conduction de l'influx nerveux;
- contraction musculaire;
- équilibre acido-basique;
- équilibre hydrique;
- évite l'épaississement du sang;
- maintient de l'équilibre acido-basique du sang et la fonction musculaire;
- maintient la fluidité du sang;
- maintient la pression osmotique;
- maintient le rythme cardiaque normale;
- nerfs;
- régularise la teneur des tissus en liquide (répartition hydrique) avec le potassium et d'autres substances;
- stimule l'appétit.

Une carence en sodium peut entraîner :

- alcalose;
- chute de tension artérielle;
- crampes musculaires;
- états confusionnels;
- faiblesse;
- fatigue;

- insomnie;
- irritabilité;
- nausée;
- œdème;
- palpitations (cas sévère);
- perte de connaissance (cas grave);
- perte de poids;
- soif excessive.

Un excès en sodium peut causer:

Hypertension artérielle.

Facteurs synergiques :

(augmentent l'assimilation)

Vitamine D, potassium.

Facteurs de déplétion ou qui détruisent ou qui peuvent produire une carence :

chaleur intense, diarrhées, diurétique à doses élevée, hyperfonctionnement des glandes surrénales (maladie d'Addison), mucoviscidose (fibrose kystique ou cystique du pancréas), transpiration excessive, troubles rénaux, vomissements.

Soufre

Aucun apport alimentaire recommandé défini.

Sources naturelles :

abricot, ail, amande, avoine, blé, cerise, châtaigne, chou, concombre, cresson, datte, fraise, germe de blé, haricots vert, maïs, noisette, oignon, orange, orge, pêche, poire, poireau, pois vert, pomme de terre, radis, riz brun.

Importance du soufre pour l'organisme humain :

- acné;
- composition de certains acides aminés;
- constituant de la kératine;
- constituant de la vitamine B_1;
- constituant de plusieurs acides aminés;
- entre dans la composition de l'insuline;

- entre dans la composition du système pileux; érythème fessier, gale, infections fongiques;
- intervient dans la transformation des sucres;
- nécessaire à la fabrication du collagène qui favorise la formation des os, des tendons et du tissu conjonctif;
- pellicules;
- psoriasis;
- purifie tout le système;
- sert à baisser le taux de sucre sanguin;
- stimule la sécrétion biliaire;
- vivifie les cheveux et donne du lustre.

Une carence en soufre peut entraîner :

- faiblesse;
- fatigue.

Un excès en soufre pour causer :

aucun facteur connu.

Facteurs synergiques :

(augmentent l'assimilation)

Pas de facteurs connus.

Facteurs de déplétion ou qui détruisent ou qui peuvent produire une carence :

personnes consommant peu de protéines, végétarisme, végétarisme sévère.

Les oligo-éléments

Chrome

Nous en avons besoin qu'en infime quantité

Sources naturelles :

abat, foie d'agneau, foie de bœuf, foie de poulet, foie de veau, grains entier, huiles de maïs, levure de bière, palourde, viandes.

Importance du chrome pour l'organisme humain :

- augmente les effets de l'insuline;
- joue un rôle dans l'activité de plusieurs enzymes;
- métabolisme du glucose;
- synthèse des protéines.

Une carence en chrome peut entraîner :

- faiblesse;
- fatigue;
- hypoglycémie;
- intolérance;
- retard de croissance;
- troubles mentaux et émotifs.

Un excès en chrome peut causer :

- inflammation cutanée;
- lésion des voies nasales lorsque inhalée;
- inhalation prolongée: cancer de poumon.

Facteurs synergiques :

(augmentent l'assimilation)

Fer.

Facteurs de déplétion ou qui détruisent ou qui peuvent produire une carence :

pollution atmosphérique, végétarisme.

Cobalt

Composant de la vitamine B_{12}
Nous en avons besoin qu'en infime quantité.

Sources naturelles :

algues, foie d'agneau, foie de bœuf, foie de poulet, foie de veau, fromage, huîtres, jaune d'œuf, lait maternel, lait de vache entier, palourde, poisson, rognons, viandes.

Importance du cobalt pour l'organisme humain :

- active certain enzyme nécessaire au fonctionnement et à l'entretien des globules rouges et des cellules de l'organisme;
- constituant de la vitamine B_{12} (Cobalamine, Cyanocobalamine, Hydroxycobalamine),
- prévient l'anémie pernicieuse;
- utilisé dans le traitement du cancer.

Une carence en cobalt peut entraîner :

- anémie pernicieuse;
- carence en B_{12} (anémie mégaloblastique);
- retard de croissance;
- troubles nerveux.

Un excès en cobalt peut causer:

respecter les quantités de la B_{12}.

Facteurs synergiques :

(augmentent l'assimilation)

Pas de facteurs connus.

Facteurs de déplétion ou qui détruisent ou qui peuvent produire une carence :

alimentation non adéquate, mauvaise absorption, végétarisme sévère, végétalisme.

Cuivre

Nous en avons besoin qu'en infime quantité.

Sources naturelles :

abricot sec, agneau, ail, algues, amande, asperges, betterave, beurre, blé, brocoli, carotte, céréales de blé entier, cerise, champignon, chou fleur, crevette, datte, épinard, farine de soja, germe de soja, figue séchée, foie d'agneau, foie de bœuf, foie de poulet, foie de veau, grains entier, huile de foie de morue, huile de maïs, huile de tournesol, huile d'olive, huîtres, lécithine, légume vert feuillu, légumineuse, mélasse, miel, millet, navet, noisette, noix de cajou, noix de coco, noix de Grenoble, noix de pacane, noix du Brésil, noix, oignon, orge, œuf, palourde, papaye, poireau, pois cassé, pois sec, pois vert, poisson, pomme, poulet, prune sèche, raisin sec, raisin vert, sarrasin, seigle, viandes.

Importance du cuivre pour l'organisme humain :

- absorption du fer;
- catalyseur des oxydations cellulaires;
- constituant des hématies (cellules sanguines);
- contribue à la synthèse de la molécule d'hémoglobine;
- formation des fibres nerveuses;
- formation des globules rouges;
- formation des os;
- métabolisme des protéines;
- nécessaire pour que le fer accomplisse ses fonctions;
- oxydation de la vitamine C;
- participe à la formation de l'hémoglobine du sang;
- pigmentation de la peau et des cheveux;
- présent dans les enzymes;
- processus de guérison.

Une carence de cuivre peut entraîner :

- anémie pernicieuse;
- faiblesse généralisée;
- insuffisance respiratoire;
- lésions cutanées;

- nuit à la fixation du calcium et du phosphore dans les os;
- os plus fragiles et poreux;
- retard de croissance;
- troubles respiratoires.

Un excès en cuivre peut causer:

aucun facteur connu.

Facteurs synergiques :

(augmentent l'assimilation)

Vitamine C, fer, cobalt, zinc.

Facteurs de déplétion ou qui détruisent ou qui peuvent produire une carence :

mauvaise absorption.

Fer

	Apport recommandé quotidiennement *en mg*
Enfants	
G= garçon / F = fille	
De 0 à 4 mois	0,3
De 5 à 12 mois	7
De 1 an à 2 ans	6
De 2 à 3 ans	6
De 4 à 6 ans	8
De 7 à 9 ans	8 G / 8 F
Adolescents	
G= garçon / F = fille	
De 10 à 12 ans	8 G / 8 F
De 13 à 15 ans	10 G / 13 F

De 16 à 18 ans	10 G / 12 F
Adultes	
H= homme / F = femme	
De 19 à 24 ans	9 H / 13 F
De 25 à 49 ans	9 H / 13 F
De 50 à 74 ans	9 H / 8 F
De 75 et plus	9 H / 8 F
Grossesse et allaitement	
Grossesse 1er trimestre	13
Grossesse 2e trimestre	18
Grossesse 3e trimestre	23
Allaitement	13

Sources naturelles :

abricot, agneau, amande, ananas, arachide, artichaut, asperge, aubergine, avocat, banane, betterave, bœuf, brocoli, carotte, céleri, céréales de blé entier, cerise, champignon, cheddar, chou fleur, chou rouge, citrouille, cœur, courge, datte, feuille de betterave, feuille de pissenlit, germe de soja, fève, figue, foie d'agneau, foie de bœuf, foie de poulet, foie de veau, fraise, fromage cottage, fruits secs, fruits, germe de blé, graine de citrouille, graine de courge, graine de sésame, graine de tournesol, groseille, haricot mung germée, haricots vert, huîtres, jaune d'œuf, légumes vert, légumineuse, lentille, levure de bière, maïs, mélasse, mélasse noire, millet, mûre, nectarine, noix de cajou, noix de Grenoble, noix du Brésil, olive mûre, orange, œuf, pacane, pain complet, pain de blé entier, palourde, papaye, pastèque, pêche, persil, pois sec, pois vert, poisson, pomme de terre, pomme, porc, poulet, pruneau, raisin sec, riz brun, rognon, saumon, son de blé, tofu, tomate, topinambour, varech, viandes rouges.

Importance du fer pour l'organisme humain :

- active le mouvement péristaltique de l'intestin;
- augmente la résistance à la maladie;
- augmente la résistance au stress;
- composition de l'hémoglobine des globules rouges;
- contribue à promouvoir le métabolisme des protéines;
- essentiel à certaines enzymes;
- essentiel à la myoglobine (pigment des cellules musculaires);
- fixe l'oxygène et le gaz carbonique et assure leur transport dans l'organisme;
- formation de la myoglobine;
- libère les cellules de leur bioxyde de carbone.

Une carence en fer peut entraîner :

- anémie ferriprive;
- constipation;
- difficultés respiratoires;
- faiblesse;
- léthargie généralisée;
- ongles cassants et pâleur de la peau.

Un excès en fer peut causer :

aucun facteur connu.

Facteurs synergiques :

(augmentent l'assimilation)

Vitamine C,B_{12}, B_6, acide folique (B_9 ou L_1), cuivre, cobalt, phosphore, calcium, acide chlorhydrique.

Facteurs de déplétion ou qui détruisent ou qui peuvent produire une carence :

antiacides, aspirine, café, carence d'acide chlorhydrique, diarrhée, ménorragie (écoulement menstruel excessif), phosphore en excès, saignements, stress, thé, ulcère gastro-duodénal.

Fluor ou Fluorure

Nous en avons besoin qu'en infime quantité.

Sources naturelles :

abricot, ail, asperges, betterave, blanc d'œuf, blé, céréales de blé entier, chou, cresson, eau fluorée, fromage, fruits de mer, huîtres, lait maternel, lait de vache entier, laitue, lentille, navet, orge, poisson de mer, pomme de terre, radis, raisin sec, raisin vert, riz brun, thé, tomate, viandes.

Importance du fluor pour l'organisme humain :

- aide à la fixation du phosphore;
- augmente la résistance tissulaire;
- bon pour les tissus et le squelette;
- calcification des os et des dents;
- donne de l'éclat au regard;
- prévient l'ostéoporose;

- prévient la carie et la plaque dentaire;
- prévient la perte auditive;
- résiste au attaque acide.

Une carence en fluor peut entraîner :

- affections des gencives;
- défaut de formation des dents;
- ostéoporose.

Un excès en fluor peut causer :

destruction du phosphate (enzyme qui affecte le métabolisme des vitamines et les tissus du cerveau, fluorose (taches sur les dents).

Facteurs synergiques :

(augmentent l'assimilation)
Pas de facteurs connus.

Facteurs de déplétion ou qui détruisent ou qui peuvent produire une carence :

calcium non soluble, sels d'aluminium.

Iode

	Apport recommandé quotidiennement ***en mcg*** = microgramme
Enfants	
G= garçon / F = fille	
De 0 à 4 mois	30
De 5 à 12 mois	40
De 1 an à 2 ans	55
De 2 à 3 ans	65
De 4 à 6 ans	85
De 7 à 9 ans	110 G / 110 F
Adolescents	
G= garçon / F = fille	
De 10 à 12 ans	125 G / 110 F

De 13 à 15 ans	160 G / 160 F
De 16 à 18 ans	160 G / 160 F
Adultes	
H= homme / F = femme	
De 19 à 24 ans	160 H / 160 F
De 25 à 49 ans	160 H / 160 F
De 50 à 74 ans	160 H / 160 F
De 75 et plus	160 H / 160 F
Grossesse et allaitement	
Grossesse 1er trimestre	185
Grossesse 2e trimestre	185
Grossesse 3e trimestres	185
Allaitement	210

Sources naturelles :

agneau, algues, ananas, arachide, beurre, bœuf, champignon, cheddar, crevette, crustacé, épinard, foie de bœuf, fromage cottage, fruits de mer, germe de blé, huiles de foie de poisson, huîtres, lait maternel, lait de vache entier, laitue, mollusques, œuf, pain complet, palourde, poisson, poivron vert, raisin sec, saumon, sel de mer, sel de table, thon, varech.

Importance de l'iode

pour l'organisme humain :

- aide à la capacité mentale;
- bon fonctionnement de la glande thyroïde;
- bon pour les cheveux, les ongles, les dents;
- certains composé sont utiles comme antiseptiques;
- conservation du poids;
- favorise l'élocution;
- favorise le développement normal de tout l'organisme;
- favorise la formation du système pileux de la peau, des dents et des ongles;
- important pour la croissance;
- maintient de l'équilibre physique et mental;
- oxydation des lipides;
- oxydation des protéines;
- participe à la composition de la thyroxine, de la tri-iodo-thyronine (T3) et tétraiodothyrodine (T4) (hormones de la glande thyroïde);
- permet la combustion de l'excès de graisse;
- régularise l'organisme;
- régularise la production d'énergie par l'organisme;
- stimule la vitesse du métabolisme.

Une carence en Iode peut entraîner :

- crétinisme (enfant en bas âge);
- goitre;
- irritabilité;
- hypothyroïdie;
- lenteur du métabolisme;
- obésité;
- ralentissement des réactions mentales;
- refroidissement des extrémités;
- sécheresse des cheveux.

Un excès en iode peut causer :

aucun facteur connus, sauf en cas d'hypothyroïdie ou d'hyperthyroïdie où il faut dans le premier cas augmenter et dans le second diminuer.

Facteurs synergiques :

(augmentent l'assimilation)

Pas de facteurs connus.

Facteurs de déplétion ou qui détruisent ou qui peuvent produire une carence :

aliments cru comme le chou et les noix peuvent interférer.

Manganèse

Nous en avons besoin qu'en infime quantité.

Sources naturelles :

abricot, amande, ananas, arachide, asperges, avoine, banane, betterave, beurre, blé, brocoli, cantaloup, carotte, céleri, céréales de blé entier, chou de Bruxelles, chou, clou de girofle, concombre, côtelette d'agneau, côtelette de porc, datte, épinard, feuille de betterave, feuille de laurier, feuille de navet, flétan, foie de bœuf, fromage suisse, gingembre, grains entier, gruau d'avoine, haricots secs, haricots vert, jaune d'œuf, lait maternel, lait de vache entier, laitue, légumes vert, légumineuse, maïs, mandarine, millet, noix de coco, noix du Brésil, noix, oignon, orange, orge, œuf, pacane, pain complet, pêche, pissenlit, poire, pois cassé, pois sec, pois vert, pomme, poulet, raisin sec, rhubarbe, riz brun, sarrasin, seigle, son de blé, thym, tomate.

Importance du manganèse pour le corps humain :

- activation de nombreux enzymes;
- bon fonctionnement des glandes sexuelles;
- bon pour le foie;
- catalyseur d'oxydation;
- combat la fatigue;
- combat la nervosité;
- croissance des os et des tissus;
- fixation du calcium des os;
- fixation du phosphore des os;
- formation du sang;
- nécessaire au bon fonctionnement de l'hypophyse, os solide et résistant;
- synthèse des acides gras et du cholestérol;
- synthèse des hydrates de carbone;
- synthèse des lipides;
- synthèse des protéines;
- tonus musculaire;
- vitalité.

Une carence en manganèse peut entraîner :

- ataxie;
- convulsions;
- étourdissements;

- faiblesse généralisée;
- hyperglycémie;
- insomnie;
- manque de coordination musculaire;
- paralysie;
- perte auditive;
- retard de croissance;
- trouble nerveux;
- troubles endocriniens.

Un excès en manganèse peut causer:

Aucun facteur connu.

Facteurs synergiques :

(augmentent l'assimilation)

Vitamine B_1, E, calcium, phosphore.

Facteurs de déplétion ou qui détruisent ou qui peuvent produire une carence :

antibiotiques, excès de calcium, excès de phosphore.

Molybdène

Nous en avons besoin qu'en infime quantité.

Sources naturelles :

blé entier, céréales de blé entier, grain entier, légumes vert feuillu foncé, légumineuse, viandes.

Importance du molybdène

- Mobilisation du fer à partir foie;
- oxydation des lipides.

Une carence de molybdène peut entraîner :

- anémie ferriprive;
- carie;
- impuissance sexuelle;
- troubles digestifs.

Un excès en molybdène peut causer:

Aucun facteur connu.

Facteurs synergiques :

(augmentent l'assimilation)

Pas de facteurs connus.

Facteurs de déplétion ou qui détruisent ou qui peuvent produire une carence :

aliments raffinés, sous alimentation.

Nickel

Nous en avons besoin qu'en infime quantité.

Sources naturelles :

blé entier, céréales de blé entier, fruits de mer, graines, grains entier, légumes, légumineuse, pain complet, son de blé.

Importance du nickel pour l'organisme humain :

- active certains enzymes;
- participe au métabolisme du glucose;
- peut être un facteur dans le métabolisme des hormones, lipides et des membranes;
- stabilisation du matériel cytonucléaire.

Une carence de nickel peut entraîner :

- cirrhose du foie;
- dermatites;

- dermatoses;
- faiblesse généralisée;
- insomnie;
- insuffisance rénale;
- mauvaise absorption intestinale;
- nuit à la guérison de l'anémie;
- transpiration excessive;
- troubles hépatiques;
- trouble nerveux.

Un excès en nickel peut causer:

dermatite, dermatoses, cancer des poumons (inhalation prolongée).

Facteurs synergiques :

(augmentent l'assimilation)

Pas de facteurs connus.

Facteurs de déplétion ou qui détruisent ou qui peuvent produire une carence :

alcool, malnutrition, stress, tabac.

Sélénium

Nous en avons besoin qu'en infime quantité.

Sources naturelles :

agneau, ail, algues, amande, avoine, beurre, bière, bœuf, carotte, céréales complètes, champignon, chou, coquille St-Jacques, crabe, crevette, éperlan, foie de bœuf, fromage cottage, fromage suisse, germe de blé, grains entier, hareng fumé, haricot rouge, haricots vert, homard, huître, jaune d'œuf, jus de raisin, jus d'orange, lait maternel, lait de vache entier, levure de bière, mélasse, morue, navet, noisette, noix du Brésil, oignon, orange, orge, pacane, pain complet, palourde, poisson, poulet, produits laitiers, radis, riz brun cuit, shampooings antipelliculaires, son de blé, varech, viandes, vinaigre de cidres de pomme.

Importance du sélénium

pour l'organisme humain :

- antioxydant avec vitamine E,
- cheveux;
- cœur;
- conserve l'élasticité des tissus;
- croissance normale du corps;
- favorise la pression sanguine grâce aux prostaglandines (substance qui contribuent à la prévention de l'hypercoagulation et l'hypertension artérielle);
- fertilité;
- métabolisme;
- oxygénation du cœur;
- ralentit le vieillissement de la peau.

Une carence de sélénium peut entraîner :

- artériosclérose;
- athérosclérose;
- douleurs musculaires;
- fibrose cystique ou kystique (mucoviscidose);
- infertilité;
- insomnie;
- prédisposition au cancer;
- problème de cheveux;
- problèmes de peau;
- troubles cardiaques;

- vieillissement prématuré.

Un excès en sélénium peut causer:

calvitie (alopécie), fatigue, perte des dents, perte des ongles, vomissements.

Facteurs synergiques :

(augmentent l'assimilation)

Vitamine C, E, B_{15} (pangamate de calcium, sel de calcium).

Facteurs de déplétion ou qui détruisent ou qui peuvent produire une carence :

empoisonnements par le mercure, sous-alimentation, végétalisme ou végétarisme avec des sols faibles en sélénium.

Silicium

Nous en avons besoin qu'en infime quantité.

Sources naturelles :

coquillage, eau dure, fibre végétale, fruits de mer, fruits (périphérie), grains entier, huître, pain complet, palourde, produits de la mer.

Importance du silicium pour l'organisme humain :

- cicatrisation des plaies, os;
- résistance des os;
- résistance des cheveux et des poils;
- résistance des dents;
- résistance des muscles;
- résistance des ongles;
- résistance des veines, sang, tissus conjonctif.

Une carence en silicium peut entraîner :

Pas de facteurs connus.

Un excès en slicium peut causer :

Pas de facteurs connus.

Facteurs synergiques :

(augmentent l'assimilation)

Pas de facteurs connus.

Facteurs de déplétion ou qui détruisent ou qui peuvent produire une carence :

artériosclérose, athérosclérose.

Zinc

	Apport recommandé quotidiennement ***en mg***
Enfants	
G= garçon / F = fille	
De 0 à 4 mois	2
De 5 à 12 mois	3
À 1 an à 2 ans	4
De 2 à 3 ans	4
De 4 à 6 ans	5
De 7 à 9 ans	7 G / 7 F
Adolescents	
G= garçon / F = fille	
De 10 à 12 ans	9 G / 9 F
De 13 à 15 ans	12 G / 9 F

De 16 à 18 ans	12 G / 9 F
Adultes	
H= homme /F = femme	
De 19 à 24 ans	12 H / 9 F
De 25 à 49 ans	12 H / 9 F
De 50 à 74 ans	12 H / 9 F
De 75 et plus	12 H / 9 F
Grossesse et allaitement	
Grossesse 1er trimestre	15
Grossesse 2e trimestre	15
Grossesse 3e trimestre	15
Allaitement	15

Sources naturelles :

abat, ail, amande, anchois, arachide, betterave, beurre, blé entier, bœuf, cannelle, carotte, céréales de blé entier, champignon, chou fleur, chou, concombre, crevette, églefin, épinard, farine d'avoine, haricot de lima, germe de soja, haricot noir, haricot, foie de bœuf, fruits de mer, germe de blé, graine de citrouille, graine, grains entier, gruau d'avoine, haricots vert, huile d'olives, huîtres, jaune d'œuf, jus de raisin, lait cru, lait maternel, lait de vache entier, lait en poudre écrémé, laitue, lécithine, légume vert feuillu, lentille, levure de bière, maïs, mandarine, navet, noisette, noix du Brésil, noix, orange, orge, œuf, pacane, pain complet, palourde, paprika, pêche, persil, pois cassé, pois vert, pomme de terre, poulet, racine de gingembre, sarrasin, sardine, seigle, sirop d'érable, son de blé, thon, thym, tomate, viandes maigres.

Importance du zinc pour l'organisme humain :

- bon fonctionnement des testicules;
- composant de l'insuline;
- composante des globules blancs;
- contribue à augmenter la vitesse de cicatrisation des plaies et des brûlures;
- contribue à la formation des cellules leucocytes;
- contribue à la formation des hématies;
- croissance et fonctionnement des organes reproducteurs;
- fabrication des protéines et des acides nucléiques (matériaux génétiques des cellules);
- fait partie de l'hormone pancréatique;
- métabolisme des hydrates de carbones, du phosphore et métabolisme digestif;
- métabolisme des protéines;
- nécessaire à la dégradation de l'alcool;
- régularisation de la croissance;

- régularise l'activité de plus d'une centaines d'enzymes.

Une carence en zinc peut entraîner :

- altération du sens du goût;
- calvitie sévère (alopécie);
- cicatrisation lente;
- inflammation de la peau, de la bouche, de la langue, des paupières dans une très forte carence;
- perte d'appétit;
- retard de croissance;
- retarde le développement sexuelle chez l'enfant;
- stérilité;
- troubles de la prostate;
- vergetures.

Un excès en zinc peut causer:

absorption intestinale du fer et du cuivre perturbé produisant des carences de ces deux minéraux, ce qui résultent en des, céphalées, douleurs abdominales, fatigue, fièvre, nausées, vomissement.

Facteurs synergiques :

(augmentent l'assimilation)

Vitamine A, E, cuivre, calcium, phosphore.

Facteurs de déplétion ou qui détruisent ou qui peuvent produire une carence :

alcool, anovulants, brûlures graves, cadmium (métal ressemblant à l'étain), carence en phosphore, corticostéroïdes, diminution de l'absorption intestinale du zinc, diurétiques, drépanocytose (anémie rare touchant les personnes de race noire), drogues, éjaculation trop fréquente, excès de calcium, malnutrition.

Le panier à provisions pour combler ses carences

Les minéraux

Pour combler une carence
en **calcium** de façon naturelle,
favorisez les aliments suivants à votre menu:
tofu, céleri, fromage, poisson, persil, cannelle,
mélasse noire ou verte, crabe, lait, caroube,
amande, jaune d'œuf, soja.

abricot	ail	algues
amande	ananas	arachide
artichaut	asperges	aubergine
avocat	babeurre	banane

betterave	beurre	bœuf
cantaloup	carotte	cassis
céleri	cerise	chou
chou fleur	citron	courge
cresson	crustacé	datte
dolomite	farine de sarrasin	feuille de betterave
feuille de navet	feuille de pissenlit	haricot
figue séchée	fraise	fromage
fruits	germe de blé	gr de citrouille
graine de sésame	gr de tournesol	haricot mung
lait maternel	lait de vache	laitue romaine
légume vert foncé	lentille	levure de bière
maïs	miso	mélasse
millet	noix	œuf
oignon	olive mûre	orange
orge	pacane	persil
pois vert	poisson	pomme
patate douce	poudre de caroube	poulet
produits laitiers	prune	raisin sec
raisin vert	riz brun	rutabaga
seigle	son de blé	tofu
tomate	varech	yogourt

Pour combler une carence
en **chlore** de façon naturelle,
favorisez les aliments suivants à votre menu:
algue, avoine, blé, olive, huître, chou.

algue	avoine	blé
céleri	chlorure de sodium (sel de table)	chou
datte	farine de seigle	farine de soja
figue séchée	huîtres	olive mûre
olive noire	seigle	varech

Pour combler une carence
en **magnésium** de façon naturelle,
favorisez les aliments suivants à votre menu:
riz brun, algue, son de blé, céréale de son de blé,
graine de tournesol, amande, escargot, avoine,
arachide, haricot pinto, mélasse, orge, seigle.

abricot	ail	algues

amande	ananas	arachide
aubergine	aveline	avocat
banane	betterave	blé entier
bœuf	brocoli	cacao
cantaloup	carotte	céleri
cerise	champignon	chlorophylle
chou	chou fleur	crabe
crevette	datte	dolomite
épinard	farine de soja	feuille de betterave
feuille de pissenlit	haricot	germe de soja
figue séchée	fromage cheddar	fruit de mer
grain entier	graine de sésame	graine de tournesol
lait maternel	lait de vache	laitue iceberg
légume vert feuillu	légumineuse	levure de bière
maïs	mûre	mélasse
mélasse noire	millet	noix
noix de cajou	noix de pacane	noix du Brésil
oignon	olive mûre	orange
orge	pacane	pêche
persil	poire	pois cassé
pois sec	pois vert	poisson
poivron	pomme	pomme de terre avec pelure
patate douce	prune	pruneau
raisin sec	raisin vert	riz brun
sarrasin	seigle	son de blé
tofu	tomate	varech

Pour combler une carence
en **phosphore** de façon naturelle,
favorisez les aliments suivants à votre menu:
poisson, riz brun, céréale germe de blé, morue,
graines de sésames, soja grillé à sec, céréale de
blé, graine de citrouille, saumon, amandes,
fromage, cacao, avoine.

abat	agneau	ail
algues	amande	ananas
arachide	asperges	aubergine
avocat	banane	betterave
bœuf	brocoli	cantaloup
carotte	céleri	céréales de blé entier
cervelle	champignon	chou de Bruxelles
chou fleur	chou rouge	chou
citrouille	concombre	courge
crabe	datte	dulse (algue)
épinard	feuille de betterave	germe de soja
figue séchée	foie d'agneau	foie de bœuf
foie de poulet	foie de veau	framboise

fromage	germe de blé	germe de soja
grain entier	gr de citrouille	graine de courge
graine de sésame	haricot	pinto
haricot vert	lait maternel	lait de vache
laitue	légumes verts	lentille
levure de bière	maïs	millet
nectarine	noix de cajou	noix de coco
nx de Grenoble	noix du Brésil	noix
oignon	olive	orange
orge	œuf	pacane
pain complet	pêche sèche	persil
pétoncle	pois cassé	pois sec
pois vert	poisson	pomme de terre
pomme	poulet	pousse de bambou
produits laitiers	pruneau	radis
raisin sec	raisin vert	riz brun
rognons	seigle	son de blé
tomate	varech	viandes
volailles	yogourt	

Pour combler une carence
en **potassium** de façon naturelle,
favorisez les aliments suivants à votre menu:

persil séché, farine de soja, abricot déshydraté, banane, riz brun, pêche, pomme de terre, poudres d'ail, céréales de blé, levure, haricot, spiruline, mélasse.

abricot	ail	algues
amande	ananas	arachide
asperges	aubergine	avocat
banane	betterave	brocoli
cantaloup	carotte	céleri
céréales de blé entier	cerise	champignon
chocolat	chou	chou fleur
courge	cresson	datte
dulse (algue)	épinard	farine de soja
haricot	figue séchée	fraise
framboise	fruits secs	germe de blé
grain entier	gr de citrouille	graine de sésame
graine de tournesol	haricot sec	lait maternel
lait de vache entier	laitue	légume vert feuillu
lentille	millet	noix
noix de Greno-ble	noix du Brésil	œuf
oignon	orange	pacane
papaye	pastèque	pêche
persil	poire	pois sec
poisson	poivron	pomme
pomme de terre	poulet	prune
radis	raisin sec	raisin vert

riz brun cuit	varech	viandes

Pour combler une carence
en **sodium** de façon naturelle,
favorisez les aliments suivants à votre menu:
sauce soja, bœuf salé, sel de mer, algue, fromage, jambon entier maigre, crêpe nature,
moutarde, margarine, porc.

agneau	ail	arachide
artichaut	aubergine	avocat
babeurre	betterave	bœuf
brocoli	carotte	céleri
champignon	choucroute	chou fleur
chou	concombre	cresson
eau douce	épinard	farine de soja
feuille de betterave	haricot blanc	figue séchée
fromage cheddar	fromage cottage	fruit de mer
graine de sésame	gr de tournesol	homard
lait maternel	lait de vache	laitue
légumes vert	lentille	marinade à l'aneth
morue	navet	oignon
olive mûre	olive verte	œuf

persil	pétoncle	pomme de terre
porc	poulet	produits laitiers
raisin sec	raisin vert	riz brun
sauce soja	sel de table	tomate
varech	viandes	volailles
yogourt		

Pour combler une carence
en **soufre** de façon naturelle,
favorisez les aliments suivants à votre menu:
ail, chou, riz brun, poire, orange, noisette, maïs.

abricot	ail	amande
avoine	blé	cerise
châtaigne	chou	concombre
cresson	datte	fraise
germe de blé	haricot vert	maïs
noisette	oignon	orange
orge	pêche	poire
poireau	pois vert	pomme de terre
radis	riz brun	

Les oligo-éléments

Pour combler une carence
en **chrome** de façon naturelle,
favorisez les aliments suivants à votre menu:
blé, œuf, levure de bière, foie, palourde.

Abat	foie d'agneau	foie de bœuf
foie de poulet	foie de veau	grain entier
huile de maïs	levure de bière	palourde
viandes		

Pour combler une carence
en **cobalt** de façon naturelle,
favorisez les aliments suivants à votre menu:
foie, lait, huître, œuf, algue.

algue	foie d'agneau	foie de bœuf
foie de poulet	foie de veau	fromage
huîtres	jaune d'œuf	lait maternel
lait de vache	palourde	poisson
rognons	viandes	

Pour combler une carence
en **cuivre** de façon naturelle,
favorisez les aliments suivants à votre menu:
foie, algue spiruline, farine de soja, graine -
huile de tournesol, noix, céréale de son de blé,
haricot.

abricot sec	agneau	ail
algue	amande	asperges
betterave	beurre	blé
brocoli	carotte	céréales de blé entier
cerise	champignon	chou fleur
crevette	datte	épinard
farine de soja	germe de soja	figue séchée
foie d'agneau	foie de bœuf	foie de poulet
foie de veau,	grain entier	huile de foie de morue
huile de maïs	huile/tournesol	huile d'olive

huîtres	lécithine	légume vert feuillu
mélasse	miel	millet
navet	noisette	noix de cajou
noix de coco	noix de Grenoble	noix de pacane
noix du Brésil	noix	oignon
orge	œuf	pacane
palourde	papaye	poireau
pois cassé	pois sec	pois vert
poisson	pomme	poulet
prune sèche	raisin sec	raisin vert
sarrasin	seigle	viandes

Pour combler une carence
en **fer** de façon naturelle,
favorisez les aliments suivants à votre menu:
persil, graine de céleri, cannelle, fenugrec,
spiruline, céréale de son de blé, tofu, veau -
bœuf, amande.

Abricot	agneau	amande
ananas	arachide	artichaut
asperges	aubergine	avocat
banane	betterave	bœuf
brocoli	carotte	céleri

céréales de blé entier	cerise	champignon
cheddar	chou fleur	chou rouge
citrouille	courge	datte
feuille de betterave	feuille de pissenlit	germe de soja
haricot	figue	foie d'agneau
foie de bœuf	foie de poulet	foie de veau
fraise	fromage cottage	fruits secs
germe de blé	gr de citrouille	graine de courge
graine de sésame	gr de tournesol	groseille
hari mung germé	haricot vert	huître
jaune d'œuf	légume vert	lentille
levure de bière	maïs	mélasse
mélasse noire	millet	mûre
nectarine	noix de cajou	nx de Grenoble
noix du Brésil	olive mûre	orange
œuf	pacane	pain complet
pain de blé entier	palourde	papaye
pastèque	pêche	persil
pois sec	pois vert	poisson
pomme de terre	pomme	porc
poulet	pruneau	raisin sec
riz brun	rognon	saumon
son de blé	tofu	tomate
topinambour	varech	viandes rouges.

Pour combler une carence
en **fluor** de façon naturelle,
favorisez les aliments suivants à votre menu:
pomme de terre, œuf, légumineuse, épinard,
fruit sec, abricot, ail, radis, lait, blé entier.

Abricot	ail	asperge
betterave	blanc d'œuf	blé
cér de blé entier	chou	cresson
eau fluorée	fromage	fruits de mer
huîtres	lait maternel	lait de vache
laitue	lentille	navet
orge	poisson d'océan	pomme de terre
radis	raisin sec	raisin vert
riz brun	thé	tomate
viandes		

Pour combler une carence
en **iode** de façon naturelle,
favorisez les aliments suivants:
algue. arachide, fruits de mer, huître,

poisson, palourde, sel de mer, mollusque

agneau	algue	ananas
arachide	beurre	bœuf
champignon	cheddar	crevette
crustacé	épinard	foie de bœuf
fromage cottage	fruits de mer	germe de blé
huile de foie de poisson	huître	lait maternel
lait de vache	laitue	mollusques
œuf	pain complet	palourde
poisson	poivron vert	raisin sec
saumon	sel de mer	sel de table
thon	varech	

Pour combler une carence
en **manganèse** de façon naturelle,
favorisez les aliments suivants à votre menu:
pacane, orge, seigle, pois sec, blé entier,
épinard, avoine.

abricot	amande	ananas
arachide	asperges	avoine
banane	betterave	beurre
blé	brocoli	cantaloup
carotte	céleri	céréale/blé entier

chou de Bruxelles	chou	clou de girofle
concombre	côtelette d'agneau	côtelette de porc
datte	épinard	feuille de betterave
feuille de laurier	feuille de navet	flétan
foie de bœuf	fromage Suisse	gingembre
grain entier	gruau d'avoine	haricot sec
haricot vert	jaune d'œuf	lait maternel
lait de vache	laitue	légume vert
maïs	mandarine	millet
noix de coco	noix du Brésil	noix
oignon	orange	orge
œuf	pacane	pain complet
pêche	pissenlit	poire
pois cassé	pois sec	pois vert
pomme	poulet	raisin sec
rhubarbe	riz brun	sarrasin
seigle	son de blé	thym
tomate		

Pour combler une carence
en **molybdène** de façon naturelle,
favorisez les aliments suivants à votre menu:
blé entier, légume vert.

blé entier	céréales de blé entier	grain entier
légume vert feuillu foncé	viandes	

Pour combler une carence
en **nickel** de façon naturelle,
favorisez les aliments suivants à votre menu:
blé entier, fruits de mer, légumineuse.

blé entier	céréales de blé entier	fruits de mer
graines	grains entier	légumes
pain complet	son de blé	

Pour combler une carence
en **sélénium** de façon naturelle,
favorisez les aliments suivants à votre menu:

beurre, hareng, germe de blé, noix du brésil, orge, pain de blé entier, homard - crabe, huître, bœuf - veau- agneau, riz brun, navet, ail

agneau	ail	algues
amande	avoine	beurre
bière	bœuf	carotte
céréales complètes	champignon	chou
coquille St-Jacques	crabe	crevette
éperlan	foie de bœuf	fromage cottage
fromage Suisse	germe de blé	grains entier
hareng fumé	haricot rouge	haricots vert
homard	huîtres	jaune d'œuf
jus de raisin	jus d'orange	lait maternel
lait de vache	levure de bière	mélasse
morue	navet	noisette
noix du Brésil	oignon	orange
orge	pacane	pain complet
palourde	poisson	poulet
produits laitiers cuits	son de blé	varech
viandes	vinaigre de cidre de pomme	

Pour combler une carence
en **silicium** de façon naturelle,
favorisez les aliments suivants à votre menu:
soja, ail, oignon, fruit de mer, huîtres, pain
complet.

coquillage	eau dure	fibre végétale
fruits de mer	fruits (périphérie)	grains entiers
huîtres	pain complet	palourde
produits de la mer		

Pour combler une carence
en **zinc** de façon naturelle,
favorisez les aliments suivants à votre menu:
huître, farine de sésame, graine de pavot,
bifteck, foie de veau, cerfeuil, crabe royal
d'Alaska, son de blé, arachide, graine de
tournesol, bœuf haché mi-maigre, dinde,
amande.

abat	ail	amande
anchois	arachide	betterave
beurre	blé entier	bœuf
cannelle	carotte	céréale/blé entier
champignon	chou fleur	chou
concombre	crevette	églefin
épinard	farine d'avoine	haricot de lima
germe de soja	haricot noir	haricot
foie de bœuf	fruits de mer	germe de blé
graine/citrouille	graine	grain entier
gruau d'avoine	haricot vert	huile d'olives
huîtres	jaune d'œuf	jus de raisin
lait cru	lait maternel	lait de vache entier
lait en poudre écrémé	laitue	lécithine
légume vert feuillu	lentille	levure de bière
maïs	mandarine	navet
noisette	noix du Brésil	noix
orange	orge	œuf
pacane	pain complet	palourde
paprika	pêche	persil
pois cassé	pois vert	pomme de terre
poulet	racine de gingembre	sarrasin
sardine	seigle	sirop d'érable
son de blé	thon	thym
tomate	viandes maigres	

Bibliographie

La médecine par les plantes
Jacques Baugé-Prévost, D.N.
Éditions Québecor

Guérir par la médecine naturelle
Jacques Baugé-Prévost, D.N.
Éditions Québecor

Précis de Naturothérapie
Jacques Baugé-Prévost, D.N.
Éditions Celtiques

La santé par les produits de la ruche
Jacques Baugé-Prévost, D.N.
Éditions Québecor

Encyclopédie des Plantes Médicinales
Éditions de Vecchi

Plantes Médicinales
Gründ

Les Plantes Médicinales - Encyclopédie pratique
Sélection du Reader's Digest

Atlas du Corps Humain et de la sexualité
Éditions Sans Frontière

Encyclopédie Médicale de la famille
Sélection du Reader's Digest
Association médicale Canadienne

Table des matières

Les minéraux

Les oligo-éléments

Vous pouvez joindre
Marc-André Laberge
Pagette: (514) 957-4734
Téléphone: (514) 968-1718
Télécopieur: (514) 968-1890

Service éditorial
4855, Chemin de la Côte Saint-Luc, N° 511
Montréal - Canada - H3W 2H5
(514) 528-5843
(514) 486-9013

Diffusion

Belgique: Vander/Bruxelles
Canada: Diffusion Rive-Nord/Laval
France: Gnostique/Paris
Luxembourg: Vander/Bruxelles
Suisse: Transat/Genève

Visitez notre site WEB:
www.odyssee.net/ ~ ediforma